sterrenstof

Een dure vergissing

LEES**N!VEAU**

speuren

Toegekend door Cito i.s.m. KPC Groep

© 2009 Educatieve uitgeverij Maretak, Postbus 80, 9400 AB Assen

Tekst: Daan van Driel
Illustraties: Gertie Jaquet
Vormgeving: Heleen van Keulen
DTP Gerard de Groot
ISBN 978-90-437-0361-1
NUR 140/282
AVI E5

Een dure vergissing

Daan van Driel

illustrator Gertie Jaquet

educatieve

uitgeverij

Maretak

1 Spulletjes

Didi klom op een stoel en pakte het touwtje dat aan het luik van de vliering hing. Ze trok uit alle macht, maar kreeg nauwelijks beweging in het zware luik.

'Zal ik even helpen?', vroeg mama.

Ze was in de slaapkamer aan het stofzuigen. Mama trok het luik open en klapte de houten trap, die opgevouwen zat aan de bovenkant van het luik, naar beneden.

'Links achterin staat het speelgoed. Je moet maar eens kijken wat je wilt hebben. Alles waarvan je denkt "daar spelen we toch niet meer mee" mag je meenemen.'

Didi klom de trap op.

'Ergens in een blauwe doos zitten borden en kopjes en ander serviesgoed. Mag je ook hebben. En er liggen stapels boeken. Zoek maar uit.'

De vliering was smal en donker en liep ver door naar achteren. Het stond er propvol met dozen, schilderijen, een wieg, een kinderwagen, een bromfietshelm, boeken, een box en allerlei andere dingen die niemand meer nodig had. Didi kwam er niet zo vaak.

'Wat staat er toch een troep op de vliering. We moeten daar nodig eens opruimen', zei mama vaak.

Maar in plaats van opruimen en weggooien kwam er elke maand wéér iets bij wat naar de vliering verhuisde. Het groeide daar dicht. Daarom was mama blij toen Didi vertelde dat ze samen met Eefje op Koninginnedag mee wilde doen aan de rommelmarkt.

'Dat vind ik een prachtig idee. We hebben genoeg spulletjes die je kunt verkopen.'

Didi tastte naar het lichtknopje. Het zat, als je de vliering op kwam, op de eerste balk aan je linkerhand.

Het licht floepte aan. Nu kon ze tenminste wat zien.

'Als ik je moet helpen, roep je me maar even. Ik ben in onze slaapkamer.'

Didi kon, als ze precies in het midden bleef, net rechtop lopen zonder haar hoofd te stoten. Ze schuifelde naar achteren, waar het speelgoed lag. Ze stond met haar rug naar het licht. Het wierp een schaduw vooruit. Ze keek, maar zag weinig. Het was nogal donker. Ze voelde om zich heen. Links van haar stond een grote plastic zak. Ze tilde hem op en voelde. Knuffels voelde ze. Beer, varkentje, de oren van Nijntje. Ze schoof de zak naar het trapgat en liet hem naar beneden vallen op de overloop. Ze liep weer terug en duwde twee dozen met speelgoed voor zich uit.

'Mam! Mááám!', riep ze. 'Help je even?'

Ah! Daar stonden dozen met borden, kopjes, schoteltjes, puzzels en spelletjes, waar ze al jaren niet meer naar omkeken.

Ze hoorde de trap kraken. Het hoofd van mama verscheen in het trapgat.

'Pak je even aan?', zei Didi.

'Niet die hele doos, schat', zei mama. 'Dat til ik ook niet. Geef me maar telkens kleine beetjes aan. Wacht even.'

Mama verdween en kwam even later terug met een stapel plastic tasjes.

'Doe hier maar in.'

Na een kwartiertje was er heel wat van de zolder op de overloop beland. Ze sjouwden de spullen de trap af naar beneden.

'Staat die oude kinderwagen nog op zolder?', vroeg mama.
'Waar Levi, Romy en jij nog in hebben gelegen.'
'Ik dacht het wel', zei Didi.
Gelukkig kon je hem uit elkaar halen. Eerst de wielen de
trap af. Didi pakte ze één voor één aan. Toen het onderstel.
Mama liet het onderstel langs de traptreden naar beneden
glijden.
De kap was het moeilijkst. Mama kon hem haast niet
houden. Maar op het moment dat ze hem bijna uit haar
handen liet glippen, kwam Levi thuis. Levi was vijftien en al
bijna even groot als papa.
'Levi', riep mama. 'Léévi!'
In twee sprongen was Levi boven.
'Wat zijn jullie nou aan het doen?'
'Pak aan', zei mama benauwd.
Levi was net op tijd.
'Eindelijk de vliering eens aan het opruimen?'

'Rommelmarkt', zei Didi. 'Ik ga verkopen.'

'Breng die kinderwagen even naar beneden, Levi, wil je?'

Mama kwam de zoldertrap af, vouwde die weer op en duwde tegen het luik. Met een klap verdween het in het plafond.

'Je kunt de spullen in de kinderwagen doen. Dat is mooi makkelijk. Dan hoef je morgen niet drie, vier keer te lopen om de spullen op te halen.'

Beneden stopten ze alles in de kinderwagen en in een doos onder in de kinderwagen. Het was zo'n ouderwetse wagen op hoge wielen.

Mama opende de antieke kast in de woonkamer.

'Kijk', zei ze. 'Dat theepotje gebruik ik ook niet meer. En hier, dat lelijke slacouvert en die gebaksbordjes met dat onmogelijke goudkleurige randje. Neem maar mee.'

De kinderwagen werd steeds voller. Levi kwam aandragen met een stapel stripboeken.

'Hier. Mag je ook hebben. Opgeruimd staat netjes.'

Didi rende naar boven naar haar kamertje. Op de plank boven haar bed stond haar verzameling puntenslijpers. Ze had er wel tachtig.

Die dubbele daar, dacht Didi. En die met het molentje doet het niet meer. En die daar kan ook wel ...

Ze pakte een stuk of zeven, acht puntenslijpers, rende de trap af en gooide ze in de kinderwagen.

Ze rende van beneden naar boven. Uit haar kamer had ze al heel wat spulletjes gehaald, maar je kon nauwelijks zien dat er dingen weg waren.

Romy was op haar eigen kamer en lag op haar bed te lezen.

'Heb jij nog iets voor mij?', vroeg Didi. 'Voor de rommelmarkt.'

Romy zat op de middelbare school. Ze had altijd veel huiswerk. Maar vandaag had ze niets te doen, omdat het morgen Koninginnedag was. Lang niet altijd kon Didi met haar opschieten. Maar nu was Romy in een goede bui.

Romy deed haar kast open. Ze pakte een prachtig roze spiegeldoosje dat een muziekje liet horen als je het opendeed. Een klein plastic prinsesje draaide in het rond.

'Dat is nog helemaal intact. Kun je zo twee euro voor krijgen. En dit clownsmasker is ook zo goed als nieuw. Hier, pak aan.'

Romy ging op een stoel staan en tastte de bovenste plank af. Ze haalde daar de mooiste dingen vandaan. Een doos met onaangebroken potjes verf, kleurige blikjes en houten doosjes. Een dierenkwartet, sjaaltjes. En zelfs een opmaak-poppenhoofd en een opmaaksetje. Net of het zo uit de winkel kwam.

Didi had dat ding nog nooit gezien, dat zou ze zelf wel willen hebben.

'Tjonge', zei Didi.

Ze vond Romy opeens heel aardig.

Romy gaf de spullen één voor één aan Didi. Ze sprong van de stoel.

'Laat je niet afzetten.'

Met armen vol spulletjes en voetje voor voetje liep Didi de trap af.

'In de kamer onder het bureau ligt een stapel kunsttijdschriften. Neem die ook maar mee', riep mama vanuit de keuken.

Het kon niet op. De kinderwagen was al helemaal vol. In het schuurtje vond ze een doos.

De telefoon ging.

'En die oude boeken in de kast onder de trap?', riep Didi, terwijl ze vanuit de gang de kamer in kwam lopen.

Mama had de telefoon opgenomen.

'Die boeken in de gang', vroeg Didi nog eens.

'Sst', deed mama.

Ze wees op de telefoon.

'Die boeken in de gang?', fluisterde Didi.

Mama knikte.

Er waren kinderboeken bij, maar ook boeken voor grote mensen. Ze legde de boeken voorzichtig in de doos.

Didi rende weer naar boven, draaide in haar kamertje rond op één been, nam een pluchen egeltje van haar bed en een olifantje gemaakt van een soort nylon.

Eén knuffel meer of minder zou ze niet missen. Ze had er nog wel vijfentwintig over. En ze was al negen!

Met het egeltje en de olifant onder haar arm liep ze speurend het huis door. In de overloopkast lagen stapels videobanden. Ze keken tegenwoordig nooit meer video's.

'Die videobanden kan ik dus ook wel verkopen', dacht ze hardop.

Ze telde negen videofilms die ze zo zou kunnen meenemen.

Op de bovenste plank lag een boek. Een oud, vergeeld boek met dikke, slordig afgesneden bladzijden. Maar wel met mooie platen. Ook maar meenemen.

Ze kon er net bij. Ze legde het boek boven op de stapel videobanden. Met haar kin op het boek en de stapel in beide handen liep ze voorzichtig de trap af. Het paste allemaal precies in de doos.

'Dat was de moeder van Eefje aan de telefoon', zei mama. 'Eefje heeft een groot tafelkleed waar jullie je spulletjes op kunnen uitstallen. Eefje neemt limonade en wat lekkers mee. Van mij krijg je dan wat geld. Kun je ijsjes voor kopen en een patatje.'

2 De rommelmarkt

Didi was vroeg opgestaan. Er was nog niemand anders beneden. De kinderwagen stond klaar in de bijkeuken. Boordevol met spullen. Eén doos onder in de wagen en één doos bovenop.
Ze had afgesproken dat ze vroeg bij Eefje zou zijn. Eefje woonde aan de oude stadsgracht. Vlak daarbij in de Geerstraat zouden ze gaan zitten. Die straat was speciaal bestemd voor kinderen om hun spullen te verkopen.
Mama kwam in haar ochtendjas naar beneden.
'Hier heb je wat geld, schat. Geld voor een ijsje en een patatje en wat kleingeld om te kunnen wisselen. Het is bij elkaar negen euro vijfentachtig. Wat er overblijft, mag je houden.'
Mama gaf haar een portemonneetje. Didi reed de kinderwagen door de lange gang naar buiten, de stoep af.
'Je moet maar op de straat blijven lopen. Dan hoef je niet steeds stoep op, stoep af. Wees voorzichtig.'
'Voorzichtig', dat zei mama altijd.
'Veel plezier! Ik kom straks wel even kijken. En voorzichtig, hoor.'
'Ja, goed.'
De kus die mama gaf, kwam op haar oor terecht.

Didi hoefde maar een klein eindje te lopen. De straat uit, het bruggetje over en dan was rechtsaf de gracht. Daar woonde Eefje.

Het was al behoorlijk druk op straat, maar er reden geen auto's. De binnenstad was vandaag afgezet. Ze had om negen uur bij Eefje afgesproken. Om tien uur zou de rommelmarkt beginnen. Dan hadden ze mooi een uurtje de tijd om alles klaar te leggen.

Eefje stond buiten op de stoep te wachten. Ze rende Didi tegemoet.

'Ik heb al een plaatsje.'

Ze pakte de stang van de kinderwagen en hielp met duwen.

'Ik was er al om acht uur. We hebben een heel mooi plekje. Op de hoek van de Burgwal en de Geerstraat. Kijk, daar.'

Abel, het kleine broertje van Eefje, zat midden op een groot tafelkleed tussen een paar dozen en plastic tassen. Naast hun plekje en ertegenover waren al kinderen bezig. Een eindje verderop in de straat ook. Aan de overkant van de gracht marcheerde een muziekkorps.

'Ik leg mijn spulletjes aan deze kant. Dan kun jij daar aan die kant. Ik heb nog een extra kleed voor als we niet genoeg ruimte hebben.'

Het was een heel gedoe om alles netjes neer te leggen. Maar ze waren precies op tijd klaar: een paar minuutjes voor tien. Meteen waren er al mensen.

De moeder van Eefje kwam Abel halen. Ze had twee klapstoeltjes bij zich.

'Dat dierenkwartet, hoe duur is dat, Didi?', vroeg ze.

'Eh ... vijftig cent', zei Didi aarzelend.

Over hoeveel alles moest kosten had ze nog niet nagedacht. De moeder van Eefje pakte het kwartet en gaf haar vijftig eurocent. Didi keek ernaar. Naar het geld in haar hand.

Ze had iets verkocht! Voor vijftig cent!

'Je moet het wel ergens in doen', zei Eefjes moeder. 'Het kan mooi in dat groene theeblikje daar.'

Didi pakte één van de blikjes van Romy.
Ze liet het geld in het blikje vallen. En ook het geld dat
mama in haar portemonneetje had gedaan. Ze deed het
deksel dicht en rammelde. Dat klonk goed.
'Dank u wel.'

Het werd heel druk. De mensen schuifelden langs.
Sommigen gingen op hun hurken zitten en keken
aandachtig naar wat er allemaal lag. Eefje en Didi hadden
samen heel wat om te verkopen.
'Varkentje?', zei een jongetje.
Hij was uit zijn wandelwagentje gestapt en stond tussen de
knuffels en boven op een puzzel. Hij had het varkentje al te
pakken.
'Hoeveel?', vroeg zijn moeder.
Didi haalde haar schouders op.
'Dat kost één euro', fluisterde Eefje.
'Eén euro', zei Didi haar na.
Het jongetje ging weer in zijn wagentje zitten met het
varkentje. Zijn moeder gaf één euro.
Didi liet hem aan Eefje zien.
'Moet je eens kijken.'
Ze had al een paar boeken verkocht, een sjaaltje en een
videoband, en ze had overal vijftig cent voor gevraagd.
Alleen voor de puntenslijper had ze twintig cent gekregen.
'Je kunt best wat meer vragen', zei Eefje.
Zelf probeerde ze dat ook. Niet altijd lukte dat, maar dan
moest je gewoon iets anders zeggen. Iets minder. Net
zolang tot ze het ervoor wilden betalen. Of niet.
Telkens keerden ze hun blikjes om en telden het geld. Ze
zaten er nog maar een uurtje. Eefje had dertien euro
vijfendertig. En Didi al zeventien euro zeventig. Daar moest

dan nog het geld van mama af. Maar zeventien euro en nog wat, was wel een heleboel.

Ze zaten lekker in het zonnetje. Er klonk leuke muziek uit de luidspreker, die vlak boven hun hoofd hing. Ze dronken ieder een pakje appelsap, aten een monkeybijt en de handel ging goed. Didi had het speeldoosje met het danseresje voor één euro vijftig verkocht en een stapel stripboeken aan één iemand voor wel vier euro.

Een meisje van een jaar of zestien zette de bromfietshelm op. Haar vriend gaf er een klap op.

'Wat vraag je voor die helm?'

'Vijftig cent', zei Didi.

Eefje stootte haar aan.

'Dat is veel te weinig, sufferd', zei ze.

'Vijftig cent? Daar doe ik het voor ... hier.'

Het meisje gooide vijftig eurocent op het kleed en liep weg met de helm. Didi raapte de munt op en keek naar Eefje.

'Dames! Even deze kant op kijken.'
Een fotograaf hield een fototoestel met een grote lens in hun richting.
'Die is van de krant', fluisterde Eefje. 'Bent u van de krant?'
'Ja. De allerleukste foto's komen in de krant. Dus kijk maar heel aardig.'
Eefje zette een dameshoedje op en pakte één van de sjaaltjes van Romy. Een oranjerood gestreepte.
'Hier, Didi, omdoen.'
Didi sloeg het sjaaltje om en lachte een beetje schaapachtig.
'Mooi plaatje', zei de fotograaf.
Klik, klik, klik.
Hij nam wel vijftien foto's en toen was hij weg.
Een man die al een tijdje had staan kijken, pakte het boek met de vergeelde kaft en bladerde erin.
'Van wie is dit boek?'
'Van Didi', zei Eefje. 'Dit hier allemaal ...', ze wees op de spullen op het kleed voor haar, 'is van mij en dat daar is van Didi.'
'Dan wil ik dit boek hebben ... En ook het boek daar.'
Hij wees op een boek met een lichtblauwe omslag, dat vlak bij Didi's voeten lag. Didi stond op en gaf het hem.
'En?', vroeg de man.
'Twee euro', zei Didi.
'Twéé euro?'
Didi keek naar Eefje. Eefje knikte.
'Twee euro', zei Didi nogmaals.
Ze stak haar hand uit. De man had kennelijk een heleboel losse munten in zijn jaszak. Hij deed zijn hand erin, rammelde wat en legde twee muntstukken in Didi's hand.
'Veel plezier vandaag', zei hij.
Didi zag het pas toen ze de munten in het blikje wilde doen.

'Hij heeft me twéé twee-euromunten gegeven', zei ze verbaasd.

Didi stond op en keek waar de man gebleven was. Maar hij was in de mensenmassa verdwenen.

'Ik ga hem zoeken', zei Didi. 'Ben zo terug.'

'Ben je gek!'

Eefje hield haar tegen.

'Hou dat geld toch. Je hebt gewoon mazzel gehad.'

Didi ging aarzelend zitten.

'Ik ga een patatje halen', zei ze even later. 'Pas jij op mijn spullen?'

'Dat is goed', zei Eefje.

Didi nam een handvol geld uit het geldblikje en liep tussen de schuifelende massa mensen in de richting van de Oudestraat. Daar zou wel een patatkraam staan. En anders was er een patatzaak een eind verderop.

Ze liep haastig tussen de mensen door en keek goed om zich heen. De man zag ze nergens meer.

Overal zaten kinderen achter hun kraampjes of kleedjes. Sommige kinderen waren nog heel klein, maar daar zaten dan vaak moeders bij, of vaders.

Eefje en zij boften. Ze hadden toch maar een heel mooi plekje aan het begin van de straat, op de hoek van de gracht. En ze hadden ook wel verschrikkelijk mooie spulletjes als je dat vergeleek met de spullen van andere kinderen.

Vlak om de hoek van de Geerstraat en de Oudestraat stond een patatkraam.

'Ik heb het druk gehad hier', zei Eefje toen Didi terugkwam met twee zakken patat.

'Mayonaise?', vroeg Didi. 'Of pindasaus?'

Eefje nam met mayonaise.

'Ik heb je opmaakkop en die opmaakspulletjes verkocht.
Voor vier euro! En ook een puzzel.'
Er bleef een jongen staan.
'Hoeveel kost dat stripboek?'
Didi wees met een patatje naar de drie overgebleven
stripboeken van Levi.
'Bedoel je die of die?'
'Ik bedoel ...'
De jongen draaide met zijn vinger een rondje boven de
stripboeken.
'Je mag ze alle drie hebben voor één euro twintig.'
'Goed', zei de jongen.
Hij gooide één euro en twintig cent in het geldblikje dat ze
hem voorhield en raapte de stripboeken van het kleed.

3 Geld

Het was een fantastische dag. Om de haverklap telden ze hun geld. Om twee uur had Didi zevenenveertig euro vijfendertig. En toen het bijna tijd was dat ze op moesten houden, had ze wel meer dan vijfenvijftig euro.

'Allerlaatste kans', riep Eefje. 'Vier schitterende boeken voor één euro.'

'Aller-allerlaatste kans', riep Didi. 'Zeven gebaksbordjes met gouden randjes voor slechts twee euro vijfentwintig.'

Ze zei maar wat, maar even later kwam er wel een mevrouw die ze wilde hebben.

'Dat kost dan drie euro', zei Didi en ze kreeg het er nog voor ook.

De meeste kinderen hadden hun spulletjes al opgeborgen en waren vertrokken. Er liepen ook steeds minder mensen langs. Om vijf uur zou er een Koninginnedagconcert gegeven worden in de Muziektent op de Nieuwe Markt. En op de IJsselkade stonden paarden en rijtuigen klaar voor een rondrit door de stad.

Vlak voor vijven kwam mama. Ze was die middag al wel drie keer langsgelopen. Ook Romy en Levi en de papa en mama van Eefje en haar broertje Abel waren komen kijken.

'Tjonge! Wat hebben jullie een boel spulletjes verkocht. Hebben jullie al een ijsje gehad?'

'Helemaal vergeten', zei Didi.

'Dan haal ik een ijsje', zei mama. 'Dan kunnen jullie ondertussen opruimen.'

Didi legde de spullen die over waren in de kinderwagen. Het kon er gemakkelijk in en de twee dozen bleven leeg. Zo veel had ze verkocht.

Eefje had maar één doos over en voor de rest lege plastic zakken.

Ze gooiden hun geldblikjes leeg. Didi aan de ene en Eefje aan de andere kant van het kleed. Didi legde de euro's bij de euro's, de vijftig centen bij de vijftig-centstukken. Ze had zeventien munten van één euro en zevenentwintig van vijftig eurocent.

Didi dacht goed na. Ze had eigenlijk een papiertje nodig om het uit te kunnen rekenen. Ze schoof eerst de euro's en de twee-euromunten bij elkaar. In rijtjes van vijf.

'Dat is drie rijtjes van vijf euro en twee rijtjes van vijf twee-euromunten ... Dat is dan vijftien euro en twintig euro en ... En dan dertien groepjes van vijf keer twintig eurocent ... Dat is ...'

Mama was terug met drie heel grote ijsjes met slagroom.

'Kijk. Dat hebben jullie wel verdiend', zei ze.

'Ik heb hier meer dan achtenveertig euro liggen', zei Didi.

'En dan moet dat er allemaal nog bij.'

Ze wees naar de bult geld die er nog lag.

'Je maakt me in de war', zei Eefje.

'Eet eerst maar je ijsje op.'

Mama ging naast Didi op het kleed zitten en begon met één hand met het geld te schuiven. Toen bedacht ze zich.

'Ik zal eerst Eefje helpen.'

Eefje had haar geld neergelegd in groepjes. Mama telde.

'Dat is drieënzestig euro en zeventig cent', zei ze.

Ze trok de doos met de spulletjes van Eefje naar zich toe, rommelde er wat in en haalde een dessertlepel tevoorschijn met een gekleurd porseleinen handvat.

'Die koop ik van je voor ... één euro dertig. Dan heb je precies vijfenzestig euro.'
'Doe je dat ook bij mij?'
Didi keek haar smekend aan.
'Dat zullen we wel zien', zei mama.
'Jij hebt ...'
Het duurde wat langer, want Didi had erg veel muntjes van tien cent en ook veel van vijf cent.
'Je hebt eenenzeventig euro vijfenveertig.'

'Ik heb tweeënzeventig euro verdiend', zei Didi.
Ze zaten aan tafel. Levi had chinees gehaald. Het was daar vandaag zo ontstellend druk dat hij meer dan drie kwartier had moeten wachten. Het was al bijna halfnegen 's avonds voordat ze konden eten.
'We hebben fantastisch verdiend! Eefje had iets van vijfenzestig en ik had tweeënzeventig euro', zei Didi.
'Tweeënzeventig euro!'
Ze had het geldblikje vlak naast haar bord staan. Ze at een loempia, saté aan een stokje en een berg bami en ook van dat eispul. Zoveel at ze anders nooit.
'Wat ga je ermee doen?', vroeg papa.
'Ik koop er ...'
Ja, wat kan je niet allemaal kopen voor tweeënzeventig euro.
'Je kunt ons trakteren', zei Romy.
'Ik graag ...', zei Levi.
'Ik kijk wel uit.'

Om tien uur gingen ze met zijn allen naar het vuurwerk aan de IJsselkade. Het stond er zwart van de mensen.
Didi had haar winterjas aan, want het was 's avonds nog behoorlijk koud.

Ze gaf mama een arm. Haar rechterhand had ze in haar zak.
Ze had het gelddoosje bij zich en dat hield ze goed vast.
Haar jas hing er zelfs een beetje scheef van, zo zwaar was
dat blikje met geld.
Ze herinnerde zich hoe bang ze vroeger was geweest voor
dat gedonder, geflits en geknal van het vuurwerk. Nu vond
ze het alleen maar mooi.
'Tjonge', zei mama toen ze na afloop nog steeds gezellig
gearmd terugliepen naar huis. 'Wat word je groot.'
En dat was ook zo. Ze kwam al bijna tot mama's schouder.
Ze vond die avond alles leuk. Het spelletje 'Vier op een rij'
met mama. Mister Bean voor de televisie. Het glas wijn dat
papa op de leuning van de bank had gezet en dat omviel ...
En zelfs het opruimen van de kopjes en bordjes naar de
keuken.
Het was halftwaalf toen ze naar bed ging. Ze ging de hele

familie langs voor een kus. Zelfs Levi, die ze meestal oversloeg, kreeg een dikke zoen.

Op bed lag ze met haar armen onder haar hoofd na te denken over de dag. Ze was heel tevreden, maar nog lang niet moe.

Morgen had ze vakantie. De hele week had ze vakantie. Heerlijk. Niet dat ze het erg vond om naar school te gaan. Maar het leuke van vakantie was dat mama 's avonds niet zo zat te zeuren van 'Ga nou naar bed!'.

Het geldblikje stond op het nachtkastje naast haar bed.

Ze zou wel elke dag spulletjes willen verkopen. Een eigen winkeltje beginnen, dat leek haar leuk. Morgen zou ze er eens goed over nadenken wat ze van het verdiende geld zou gaan kopen.

Ze hoorde Romy de trap op komen en even later Levi. Aan de voetstappen op de trap kon ze horen wie het was: Romy kort en licht en vlug, en Levi met twee treden tegelijk. Die sprong de trap altijd op.

Ze hoorde aan de andere kant van de gang een deur en bijna tegelijk ook boven. Mama kwam de trap op. Ze draaide de kraan van de wastafel in de slaapkamer open. Papa liep beneden nog wat rond en kwam toen ook naar boven.

'Ik zoek me een ongeluk', hoorde ze papa zeggen. 'Heb jij het ergens gezien?'

'Ssst', zei mama. 'Didi's deur ...'

Papa keek om het hoekje van Didi's slaapkamerdeur. Didi lag doodstil met haar ogen dicht.

'Ze slaapt', zei papa zacht.

Hij liep weer naar mama, maar liet de deur wijder open staan dan hij stond.

'Ik heb het toch werkelijk bij die andere spullen gelegd', hoorde ze papa zeggen.

Papa liep de badkamer in.

'Ga morgenochtend maar verder zoeken. Het kan niet verdwenen zijn.'

'Dat is te hopen. Overmorgen weet ik of ik het verkopen kan.'

'Nou, dat is dan overmorgen. Laten we nu gaan slapen.'

'Maar het gaat wel over bijna duizend euro.'

'Morgen is er weer een dag.'

Ze zag door de kier in de deur papa de badkamer weer uit komen. Hij had alleen een onderbroek aan en was zijn tanden aan het poetsen.

'Tussunbukmutunbutje unvurgulde kuft unwutruffelige bludzudden. Zudduk ungevur.'

Hij haalde zijn tandenborstel uit zijn mond.

'Heb je het echt niet gezien?'

'Morgen help ik je zoeken.'

Doordat papa aan het tandenpoetsen was, had ze niet helemaal goed kunnen verstaan wat hij zei. Hij was duidelijk iets kwijt. Maar wat?

4 Het boek

Ze was kennelijk toch snel in slaap gevallen, want midden in de nacht werd ze wakker. En toen wist ze het. Opeens wist ze wat papa had gezegd. Klaarwakker was ze.
Hij had het over een boek met een vergeelde kaft en rafelige bladzijden.
Een boek? Was dat niet het boek dat zij vanmiddag ...

De volgende morgen stond ze laat op. Ze had slecht geslapen.
Papa stond bij het aanrecht en perste sinaasappels uit.
'Goedemorgen, Didi. Een glaasje versgeperst sinaasappelsap?'
Didi ging aan de grote eettafel in de keuken zitten. Papa zette een bordje voor haar neer, een kopje thee en een glas sinaasappelsap. Mama kwam uit de gang met de krant. Ze ging naast Didi zitten en sloeg de krant open.
'Lekker geslapen, schat?'
Papa ging aan de andere kant van de tafel zitten en bladerde in zijn agenda.
'Hier, kijk', zei mama. 'Vanmiddag is de opening van die tentoonstelling in het museum. Vorige week kregen we daar een uitnodiging voor.'
'Om halftwaalf heb ik een afspraak', zei papa.
''t Is toch zaterdag', zei mama.
Het was even stil. Mama las verder in de krant en papa in zijn agenda.

'Nou ja, anders ga ik wel alleen naar die tentoonstelling',
ging mama verder. 'Heb je het boek al gevonden?'
'De rest van de dag ben ik vrij. We kunnen vanmiddag wel
naar die tentoonstelling. Naar die opening, bedoel ik.'
'Dat boek? Heb je dat al gevonden?'
'Nee ... Vanmorgen heb ik alles overhoopgehaald. Ik snap er
niks van. Misschien ligt het ergens op kantoor.'
'Ik zal hier thuis nog eens goed zoeken.'
Papa zette zijn tas op schoot en haalde er een stapeltje
muziekpapier uit.
'Het is een boek over Mozart. Het lag tussen deze oude
muziekboeken, uit de erfenis van Gait. Ik heb het je toch wel
laten zien? Samen met die schitterende prenten van de stad.'
Mama knikte.
'Vorige week ben ik bij Jan Pee geweest. Die antiquair op de
Vloeddijk. Ik liet hem de prenten zien. Die wilde hij wel
hebben. Vijfhonderd euro gaf hij voor vier prenten en toen
zag hij het boek. "Dat is een mooi boek", zei hij. Hij bekeek
het eens goed. Hij was er nogal van onder de indruk. Hij
vertelde dat het boek meer dan tweehonderd jaar oud is en
dat er maar heel weinig exemplaren van zijn. In het
muziekinstrumentenmuseum is er één, dacht hij. En in de
muziekbibliotheek van het Koninklijk Conservatorium in
Den Haag. "Ik geef je er zevenhonderdvijftig euro voor", zei
hij. Maar ik dacht: als hij er zo veel voor wil geven, is het vast
meer waard.'
'Waarom heb je me dat niet verteld?', vroeg mama.
'Ik was het eventjes vergeten. Ik heb op kantoor een mailtje
gestuurd naar het Nederlands Muziekinstituut in Den Haag.
Die hadden er belangstelling voor. Maandagmiddag word ik
erover gebeld.'
'Tjonge.'

'Ik denk dat ik er wel duizend euro voor kan vragen.'

'Duizend euro?'

Levi kwam de keuken binnenlopen.

'Wat duizend euro?', vroeg hij.

'Een boek. Papa wil een boek verkopen voor duizend euro. Heb jij ergens een oud boek gezien, Levi? Het gaat over Mozart.'

'Nee, geen idee.'

Didi zat kleintjes aan tafel en dronk langzaam haar sinaasappelsap op. Heel langzaam.

Het was dus echt zo. Vanmorgen had ze gehoopt dat ze het niet goed had begrepen. Dat het niet waar was. Dat het niet het boek was dat ze dacht. Maar ze had het duizend-euroboek echt in haar handen gehad. En ze had het verkocht. Het was weg.

'Jij bent toch niet in papa's werkkamer geweest gisteren, Didi?'

Didi schudde haar hoofd.

'Papa's werkkamer?'

Ze stak een stukje brood in haar mond. Net of ze er even over na moest denken.

'Nee, daar ben ik niet geweest.'

'Zeker weten?'

'Nee, heus niet', mompelde Didi.

Gelukkig. Niemand keek naar haar. Ze was er natuurlijk ook echt niet geweest. Maar toch.

'Misschien weet Romy er iets van', zei mama.

5 Op zoek

'Ik ga', riep Didi.
'Naar Eefje?'
Ze antwoordde niet, trok de voordeur achter zich dicht en
stak de straat over naar de fietsenstalling.
De fietsenstalling hoorde bij het kerkgebouw op de hoek en
lag schuin tegenover hun huis. Daar stonden hun fietsen.
Didi piekerde.
Vlak nadat Levi aan tafel was gekomen, was zij opgestapt en
naar boven gegaan. Ze had het blikje met geld verstopt
achter een rijtje boeken in de kast. Er zat nog net zoveel geld
in als gisteren en het zag er nog net zo uit. Maar het voelde
heel anders. Ze had overal in haar kamer gekeken. En in de
gang. En in de gangkast. Ze wist dat ze het boek daar niet
zou vinden, maar ze hoopte zo van wel. Het enige wat ze nu
kon doen, was die man gaan zoeken en zeggen: 'Het is
ontzettend vervelend, meneer, maar het was een vergissing.
Mag ik mijn boek terug hebben?' Dat zou ze zeggen.
Maar ze moest die man eerst wel vinden. Maar hoe?
Didi zou de stad door fietsen. Je wist maar nooit. Als ze
geluk had, kon ze die meneer overal tegenkomen.
Ze deed de fiets van het slot en liep ermee naar de deur van
de fietsenstalling. De koster, die net naar binnen wilde,
hield de deur voor haar open.
'Zo, ga je op de fiets, Didi?'
Grote mensen konden van die gekke dingen zeggen. Hij zag
toch dat ze ging fietsen.

'Ja, gewoon een eindje fietsen.'

Ze sprong op haar fiets. De koster zwaaide.

Allereerst zou ze gaan zoeken in de binnenstad. Ze had het gevoel dat áls ze de man ergens kon tegenkomen, het daar was. Bovendien was het zaterdag en dan gingen een heleboel mensen winkelen.

Ze reed de straat uit, het bruggetje over en sloeg linksaf de Burgwal op. Daarna fietste ze langs de stadsgehoorzaal en de muziektent naar de Oudestraat. Ze stapte daar af en liep met de fiets aan de hand verder. Je mócht in deze grote winkelstraat trouwens ook niet fietsen.

Ze keek omhoog. Op de torenklok was het drieëntwintig minuten over tien.

Als ze nou eens in vijf minuten vier mensen zou tegenkomen die ze kende. Dan was nummer vijf vast die meneer.

Ze keek goed om zich heen. Halverwege de straat liep Joram met zijn moeder. Joram zat bij haar in de klas. Hij hoorde bij een groepje stoere jongens. Op school zag hij haar nooit, maar nu zwaaide hij naar haar. Ze zwaaide terug.

'Nummer één', riep ze.

Hij keek haar niet-begrijpend aan.

Bij de juwelier hing een klok. Ze moest voortmaken. Het was vijfentwintig minuten over. Ze had nog drie minuten. Dan maar naar de boekwinkel. Daar werkten de overbuurman en de overbuurvrouw.

Ze had geluk. Niet alleen de buurvrouw en de buurman waren in de winkel, maar ook juf Annet van de kleuters. Die stond te praten met een mevrouw met een kindje in een wandelwagentje.

Ze liep om de juf heen en groette nadrukkelijk.

'Dag juf Annet.'

'Hallo Didi', zei de juf. En tegen de mevrouw: 'Dat is Didi uit groep vijf. Je weet wel, van Levi en Romy.'

'O ja. Uit groep zes, niet?', zei de mevrouw.

'Nee, groep vijf', zei juf Annet.

Het was precies achtentwintig over. De vijf minuten waren om.

Joram, telde Didi, de buurman en de buurvrouw, juf Annet en de mevrouw waarmee ze stond te praten ... Dat is ... vijf. Vijf? Eén te veel. Die mevrouw moest ze natuurlijk niet meerekenen, want die kende ze eigenlijk niet. Dus dan werden het er vier.

Ze keek goed om zich heen. Maar hoe ze ook keek en oplette, de man was niet in de boekwinkel.

Ze liep teleurgesteld de winkel uit. Ze had iets anders moeten bedenken.

Bij de Bovenkerk aan het eind van de Oudestraat stapte ze

op haar fiets. Ze reed om de kerk heen, maar stapte bij het straatje daarachter weer af.

Het zou natuurlijk ook kunnen dat die man op dit moment de boekhandel binnenwandelde. Als ze een minuutje langer was gebleven ...

Ze sprong weer op haar fiets, spurtte een rondje terug om de kerk, zette de fiets in een fietsenrek en rende naar de boekwinkel. Maar de meneer was daar niet.

Ze keek goed rond. Juf Annet bladerde in een tijdschrift. De buurman zat achter een soort balie te telefoneren. En de buurvrouw was in gesprek met een klant. De man was er niet. Niet voor en niet achter in de winkel.

Natuurlijk was hij er niet. Ze moest opschieten. Zoeken. Kijken. Fietsen.

Ze croste de binnenstad door, reed door de straten van Zuid, langs de flats, over de Europa-allee, door de buurt waar haar school stond ... En ook helemaal door het allernieuwste gedeelte van de stad. Je kon nooit weten. Overal zag ze mensen, overal mannen. Maar niet de meneer van het boek.

Tegen twaalf uur zette ze de fiets in de fietsenstalling. Voorzichtig stak ze de sleutel in het slot van de voordeur, die ze behoedzaam opende en zacht achter zich dichttrok.

Ze sloop de trap op naar boven, naar haar kamer.

6 De tentoonstelling

'Didi! Ben je boven?', riep mama beneden aan de trap.
Didi wilde niet antwoorden. Ze wilde er gewoon even niet
zijn.
'Didi!'
Mama had haar kennelijk horen thuiskomen. Didi zette de
computer aan, deed de koptelefoon op haar hoofd en ging
zitten op de kruk bij haar bureautje. Ze hoorde mama de
trap op komen en de kamer binnenlopen.
'Didi, hoor je me niet?'
Didi knikte onduidelijk, deed de koptelefoon af en draaide
zich om.
'Ik heb lekkere tomatensoep beneden en een stokbroodje.
Ik heb de soep al opgeschept. Kom je?'
Didi had geen zin in soep. Niet in soep en niet in brood, in
niets. Het boek! Het zat levensgroot in haar hoofd. Ze kon
aan niets anders denken. Hoe ze het ook probeerde, ze kon
niet níét aan het boek denken. In een hoekje van haar hoofd
was er nog wel een petieterig klein plekje voor de gedachte
dat het om een ander boek ging. Dat het om net zo'n soort
boek ging, maar dan een boek dat er gewoon was. Dat nog
ergens lag. Dat nog ergens was te vinden hier in huis.
'Ik kom', zei Didi. 'Ik kom eraan.'
Op de keukentafel stonden twee soepkommen en een
boterhambordje met broodjes gezond. Mama lepelde van de
tomatensoep en las de ochtendkrant.
Dat ze die nou nog niet uit had.

Didi blies in de soep en nam een klein hapje. Het was eigenlijk wel prettig zo. Samen met mama aan tafel zitten en zwijgen, en een beetje eten. In ieder geval nergens over praten. Want als je ergens niet over praatte, was het er ook minder. Leek het.

'Papa komt strakjes', zei mama.

Ze keek Didi over haar lepel aan.

'Hij belde zo-even.'

Ze keek weer in haar krant.

'Romy is naar hockey. Waar was jij eigenlijk?' Mama verwachtte kennelijk geen antwoord, want ze ging door: 'Vanmiddag gaan papa en ik naar de opening van een tentoonstelling in de synagoge. Heb je zin om mee te gaan?'

Papa en mama gingen regelmatig naar een schilderijententoonstelling en Didi ging vaak mee. Meestal gingen ze naar een opening. Dan was er een meneer of een mevrouw die iets vertelde over de kunstenaar en zijn schilderijen. Soms was er ook een orkestje dat muziek maakte. En na afloop werden er altijd drankjes gedronken. Didi ging vanaf dat ze heel klein was mee. Ze was dat gewend. Maar ze vond het niet altijd even leuk. Bij sommige openingen werden ellenlange toespraken gehouden.

'Ik weet het niet.'

Levi en Romy gingen al jaren niet meer mee.

Het was bijna twee uur. Ze waren op weg naar de synagoge. Didi was toch maar meegegaan. Ze wist niet goed wat ze anders moest doen.

Papa en mama hadden het niet meer over het boek gehad. Papa kwam pas om tien voor twee thuis. Hij was niet op kantoor geweest.

Nadat papa naar de wc was gegaan en zich even had opgeknapt, waren ze vertrokken.

Daarvoor had Didi een computerspelletje gedaan en ge-msn'd met Ineke en met Eefje.

We staan in de krant, in de Stentor, had Eefje geschreven. *Een supermooie foto!*

Bij Didi thuis hadden ze de Stentor niet. Ze lazen de NRC. Didi zelf natuurlijk niet, maar papa en mama lazen de krant, en Levi als het zo uitkwam.

Door wat Eefje in haar berichtje schreef over de foto in de krant, moest ze aan gisteren denken. En dat wilde ze niet.

Ik ga naar een opening, had ze geschreven.

Ze had die krantenfoto gelukkig niet gezien. En dat hoefde ze ook niet. Ze wilde niks meer te maken hebben met gisteren.

Maar toen ze in de Oudestraat langs de etalage van de Stentor liepen, kon ze het niet laten om wat langzamer te lopen en toch even, heel even, te kijken. In de etalage hingen vier pagina's uit de krant. Eén hele krantenpagina vol met foto's van Koninginnedag. Ze zag niet direct de foto waarop zij stond. Ze hield haar pas in en deed een stapje naar de etalage. Toen zag ze zichzelf midden op de bladzij, met Eefje.

'Didi', zei mama.

Ze wilde zeggen 'doorlopen'. Maar toen zag ze waar Didi naar keek.

'Kijk, Karel! Didi staat in de krant. Och, wat een leuke foto. Laten we een krant kopen.'

Mama liep naar de overkant en haalde bij de boekhandel een krant uit het krantenrek. Even later was ze terug.

'Hier, Didi. Hou jij hem maar vast. Thuis bekijken we die krantenfoto nog eens goed.'

Mama gaf papa een arm.

'We zouden ons toch eigenlijk moeten abonneren op de Stentor.'

'Wij lezen al een kránt', zei papa.

Met de nadruk op het woordje 'krant'.

'Het is toch ook interessant om te lezen wat er in onze eigen stad gebeurt?'

'Je kunt die krant toch ook af en toe kopen?', mompelde papa.

Ze liepen een steegje door, gingen in de Voorstraat naar links en kwamen bij de gemeentelijke expositieruimte 'De synagoge'.

'Tjonge', zei mama. 'Moet je kijken.'

Er stond een lange rij mensen voor de ingang.

'Zo druk heb ik het nog nooit gezien bij een opening.'

'Laten we maar weer naar huis gaan', zei papa.

Dat leek ook Didi een goed idee.

'Het lijkt me juist heel bijzonder, zo veel mensen. Die mensen komen niet voor niks.'

'Ik ga niet staan wachten. Straks zijn we ook nog te laat voor de openingstoespraak. Ik ga naar huis. Je gaat maar alleen. Ga je mee, Didi?'

Didi was graag met papa meegegaan. Maar ze bedacht zich. Alleen met papa. Dan ging het misschien wel over dat boek.

'Ik ga met mama mee.'

'Hè, schat', zei mama. 'Dat vind ik lief van je.'

7 Het adres

Het duurde wel vijf minuten voor ze binnen waren. Maar ze
kwamen niet verder dan de hal. De grote expositieruimte
was overvol. Er kon niemand meer bij.
'We gaan de trap op', zei mama.
Het museum van de stad was heel vroeger een synagoge
geweest, een joodse kerk. Beneden in de grote zaal zaten
indertijd tijdens een dienst de mannen. En boven op een
soort grote overloop de vrouwen. 'De vrouwengalerij' heette
dat. Zo werd het nog steeds genoemd.
Dat het geen joodse kerk meer was, had iets met de Tweede
Wereldoorlog te maken. Maar nu was het een soort
museum. Een museum voor schilderijen en beelden.
Ook boven was het afgeladen vol. Didi zag kans zich naar
voren te dringen. Via een balustrade kon ze mooi op de
hoofden van de mensen neerkijken. Van bovenaf zag ze pas
echt hoe vol het was.
Overal aan de wanden en op schotten die daar dwars op
stonden, hingen schilderijen.
Er waren weinig kinderen. Op een klein podium vooraan
zaten drie muzikanten, twee met een viool en één met een
cello. Naast het podium stond een man achter een
microfoon. Hij zwaaide met zijn armen.
'Dames en heren!', riep hij.
Het geluid van stemmen verstomde als een storm die ging
liggen. De meest linkse viool begon. De andere viool en de
cello zetten na elkaar in. De muziek klom omhoog tot in alle

hoeken van het gebouw. De mensen stonden stil te luisteren. Sommigen wiegden voorzichtig heen en weer. Didi vond het mooie muziek. Ze legde luisterend haar armen boven op de balustrade. Ze had niet in de gaten dat daardoor de krant, die ze onder haar arm droeg, langzaam weggleed. Dat merkte ze pas toen hij met een plof op de grond viel. Ze ging op haar hurken zitten en raapte de krant op.

De foto. Even kijken.

Ze bleef op haar hurken zitten en spreidde de krant voor zich uit op de grond. Het was gelukkig maar een klein krantje.

De muziek stopte. Er werd langdurig geapplaudisseerd.

Didi zag tussen de spijlen van de balustrade door dat een man met een okerkleurig jasje en een opvallende donkerrode bril achter de microfoon ging staan.

'We zijn verheugd dat u in zulken groten getale aanwezig bent op de opening van deze prachtige tentoonstelling', begon hij.

Didi had de fotopagina gevonden. Eefje met hoed stond er leuk lachend op. Zijzelf keek wat onnozel, maar ze had wel een grappig sjaaltje om.

Het boek! Op de rand van de foto lag het boek. Bijna niet zichtbaar. Maar het lag er wel.

'... Bach, familie en variaties op één thema', zei de meneer achter de microfoon. 'Net als bij de vandaag gespeelde muziek, gaat het de kunstenaar om nuances in klankkleur, tempo, karakter en sfeer.'

Didi snapte niet waar hij het over had. Geen kind van negen snapte zulk soort toespraken.

'En dan, als je goed kijkt, is er plotseling dat innerlijk begrijpen. Opeens zie je het.'

Dat snapte Didi weer wél. Dat had ze zelf nu ook: ze keek naar de foto. Ze zag het boek. Het lag op het kleed naast de andere spulletjes. Ze had het dus echt verkocht. Geen twijfel mogelijk.

Ze kreeg het er warm van. Ze draaide zich om, zocht met haar ogen mama.

Misschien was papa ondertussen naar kantoor om het boek te zoeken.

'Ik heb het niet gevonden', zou papa zeggen als ze thuiskwamen.

'Het moet beslist ergens in huis liggen. We gaan goed zoeken', zou mama zeggen.

Ze zouden alles overhoop halen. Te beginnen met de werkkamer van papa. Levi en Romy werden ingeschakeld en ook zijzelf moest meehelpen zoeken.

Opeens zou papa zeggen: 'Ik weet het weer! Ik heb dat boek in de gangkast gelegd op de overloop. Heb jij, Didi ...?', zou hij vragen.

Je kon dingen niet wegdenken door er niet over te praten.

Het kwam strakjes allemaal gewoon uit. Alle stukjes van de puzzel zouden op hun plaats vallen.

Didi. We moeten bij Didi zijn. Didi heeft het gedaan.

Ze kon het maar beter vertellen.

De toespraak was afgelopen. De mensen applaudisseerden en begonnen daarna weer te praten met elkaar. Mama kwam naar Didi toe. Ze pakte haar hand.

'Mama! Luister eens ...'

Ze hoorde Didi niet.

'Het lijkt wel of de hele stad is uitgelopen. Moet je kijken wie er allemaal zijn.'

Mama begon allerlei interessante mensen op te noemen en aan te wijzen. De burgemeester, een beroemde beeldhouwer, de pianolerares, de directeur van de glasfabriek, de dokter die haar vorig jaar geopereerd had, de tandarts.

'En hier vlak voor ons, die ... Hoe heet ze ook alweer van de televisie ...'

Didi kneep in mama's hand.

'Mama.'

'Ik wil zo dadelijk nog even de schilderijen bewonderen', zei mama. 'Kom. Laten we naar beneden gaan.'

Dat was gemakkelijker gezegd dan gedaan. Er waren hierboven op de vrouwengalerij wel een paar honderd mensen en die wilden allemaal tegelijk via een steile trap naar beneden. Het ging voetje voor voetje. Nog langzamer dan langzaam. Pas toen Didi op de trap stond, zag ze hoe dat kwam. De mensen die van de trap kwamen, moesten telkens wachten voor de mensen die uit de zaal kwamen. En

dan stond er in de hal ook nog een rijtje mensen te wachten om iets in een boek te schrijven. Dat boek lag vlak bij de voordeur op een lessenaar.

Mama stond achter haar, een treetje hoger dan zij. Telkens als er mensen door de voordeur verdwenen, konden ze weer een stapje naar beneden. Maar het ging langzaam.

Voortdurend kwamen uit de zaal mensen die naar buiten wilden.

Bij het boek stond nu iemand die ze eerder had gezien. Het was ...

Ze keerde zich om naar mama en trok aan haar broekspijp.

'Wie is die man vooraan bij het boek?'

Mama boog zich voorover tot vlak bij haar hoofd.

'Bij het gastenboek? De dominee, toch?'

Nu wist ze het weer. Ze had hem zondag nog gezien op de preekstoel in de kerk.

Niet iedereen schreef in het boek. Maar wie wel iets wilde schrijven stond achter de schrijvende dominee in de rij.

Ze keek naar de mensen in de hal. Ze keek of ze nog iemand anders zag die ze kende.

Toen zag ze hem. Hij stond daar. Zomaar. Heel gewoon. De man van het boek. De man naar wie ze vanmorgen op zoek was geweest.

Ze deed automatisch een stapje naar beneden en kwam precies op de puntige laarzen van een mevrouw voor haar terecht.

'Au! Kindje, wil je alsjeblieft een beetje uitkijken.'

De vrouw duwde haar resoluut terug de trap op.

'Ik wil naar beneden.'

'Dat willen we allemaal', zei de mevrouw.

'Laat me erlangs!', riep Didi.

'Tuttut! Wat een praatjes.'

Ze werd bij haar schouders vastgepakt. Mama.

'Didi toch. Wat is er?'

'Ik wil naar beneden. Ik wil daarnaartoe. Ik moet!'

'Je ziet toch hoe druk het is. Doe niet zo bespottelijk.'

Ze trok met haar schouders, maar mama hield haar stevig vast. Ze voelde de kwaadheid in mama's vingers.

Wat moest ze zeggen?

Ze staarde naar de man. Ze wilde hem vasthouden met haar ogen. Ze durfde bijna niet te knipperen. De dominee legde de pen neer. De man mocht niet zomaar verdwijnen.

Er stonden vier mensen voor hem die iets wilden opschrijven. Sommigen schreven een ellenlang verhaal. Anderen waren zo klaar.

Doe maar rustig aan, zei Didi in zichzelf. Het kan niet lang genoeg duren.

Ze moest beneden zijn voor hij aan de beurt was.

Didi stond nu halverwege de trap. Een opvallend lang meisje, dat voor de man in de rij stond, begon te schrijven. Ze was vlug klaar.

Nu was de man aan de beurt. Er stonden strepen in het gastenboek. Dat kon Didi duidelijk zien.

Hij haalde een glimmende, zilverkleurige pen uit zijn binnenzak en begon langzaam tussen de strepen te schrijven.

Didi probeerde te lezen wát. Maar de afstand was te groot. De mensen op de trap gingen weer een treetje lager. Ze wilde dat de man bleef doorschrijven. Net zolang tot ze beneden was. Hij schreef met grote, sierlijke bewegingen. Schrijf maar. Schrijf maar door, dacht ze.

Maar ze kon denken wat ze wilde. De man hield op met schrijven en knikte vriendelijk naar de mevrouw die achter hem stond. Toen liep hij naar de buitendeur en verdween.

Het leek wel of er met het verdwijnen van de man schot kwam in de rij. Ze waren nu binnen een paar minuten beneden.

Didi keek nog even om het hoekje van de buitendeur. Maar de man was er natuurlijk niet meer. Daarvoor had het allemaal te lang geduurd.

Mama drentelde met Didi langs de schilderijen.

'Kijk, Didi ...'

Mama bleef af en toe staan, wees naar een schilderij of naar een stukje ervan.

'Prachtig, niet?'

Sommige schilderijen bekeek ze van heel dichtbij, met haar neus er bijna op.

'Ik bewonder uw schilderijen buitengewoon', zei ze toen ze langs de kunstenaar liep.

Ze gaf hem een hand en maakte een praatje.

'Ik vind uw kleurstelling compleet verrassend', zei mama.

Ze praatte zo anders dan thuis. Didi kleurde ervan. Ze liep een eindje bij mama vandaan. Alsof ze even niet bij haar hoorde.

Mama kocht een boekje met schilderijen van de tentoonstelling. De kunstenaar zette met grote, streperige letters zijn handtekening en de datum op de eerste witte bladzij in het boek.

Er waren niet zoveel mensen meer toen ze eindelijk weggingen.

'We moeten nog even het boek tekenen', zei mama voor ze naar buiten gingen.

Er stonden drie kolommen naast elkaar. Boven de eerste kolom stond *naam*, boven de tweede *adres* en boven de derde kolom *opmerkingen*.

Mama schreef haar naam en adres op. In de kolom

opmerkingen schreef ze: *Een tentoonstelling die mij écht heeft geraakt.*

'Nu jij, Didi', zei mama.

Sommigen hadden een enkel woordje opgeschreven, anderen een heel verhaal.

De man, dacht Didi. Die had ook iets opgeschreven.

Het schoot haar opeens te binnen. Zijn naam en adres moesten natuurlijk te vinden zijn in het boek.

Didi bladerde terug. Er stonden zo veel namen. Toen zag ze de naam van de dominee.

'Mama?'

Ze wees in het boek.

'Ja, dat is de dominee. Laat eens kijken wat hij geschreven heeft?'

Mama trok het boek naar zich toe.

'Een prachtige tentoonstelling', las ze hardop. 'Ik was aangenaam verrast. Bezoek voor herhaling vatbaar.'

Ze schoof het boek weer naar Didi.

'Weinig origineel', mompelde ze.

Didi ging met haar vinger langs de namen. Ze telde één twee, drie, vier ... vijf! Dat was hem. Dat moest hem zijn.

Het stond er met sierlijke letters geschreven: *Johannes Lindenhuizen, Engelenbergstraat 12.*

'Ben je klaar?'

Mama stond al bij de deur. Didi haalde diep adem.

Mooi!, schreef ze. Mét een uitroepteken.

Ze vergat haar naam en adres op te schrijven.

8 Lucas

Mama liep toen ze thuiskwamen onmiddellijk naar de keuken en zette de waterkoker aan. Papa was er niet.
'Wil je een lekker kopje sinaasappelthee, Didi?'
Didi rende naar boven. Ze haalde uit het blikje een handvol geld. Boeken vielen op de grond, maar ze liet ze liggen.
'Ik hoef geen thee. Ik ga nog even naar Eefje', riep Didi vanuit de gang.
Het was bijna vier uur.
'Om zes uur thuiskomen!', riep mama haar na.
De Engelenbergstraat … Daar was ze vanmorgen wel twee keer doorheen gefietst. Daar was ze dus al geweest!
Het was niet ver. Ze moest de straat uit lopen langs het plantsoen. Aan het eind bij de polikliniek en het verpleegtehuis stak ze het zebrapad over. De Engelenbergstraat. Twee … vier … zes … acht … tien … Nummer twaalf. Ze was er.
Dr. J. Lindenhuizen, stond in sierlijke letters op een koperen naamplaatje op de voordeur boven de brievenbus.
Ze aarzelde geen moment. Als ze niet meteen aanbelde, durfde ze misschien niet meer.
Ze drukte op de bel.
Dingdong, klonk het in de gang. *Dingdong*.
Wat moest ze zeggen als de deur openging?
Ze luisterde of ze geluid van voetstappen hoorde in de gang.
Ergens in het huis blafte een hond. Er kwam niemand.
Ze drukte nog een keer op de bel.

Dingdong ... Dingdong.
Luider en duidelijker dan de eerste keer. Het geluid van de bel galmde na in de gang. Toen was het weer stil.

Er was geen voortuintje, maar wel een erker. Didi keek door het erkerraam naar binnen. Ze zette haar handen aan weerszijden van haar gezicht en drukte haar voorhoofd en neus tegen het raam. Zo had ze geen last van het licht dat in het raam weerkaatste. Ze kon zo goed naar binnen kijken.

Het was één grote, lange kamer. Rechts stond een deur op een kier. Daartegenover hing een groot schilderij. Overal in de kamer waren boeken. Niet alleen in de metershoge boekenkasten die zo'n beetje de hele linkerwand vulden, maar overal waar je keek. Boeken, tijdschriften en kranten. Ze lagen in stapels op de bank, op het salontafeltje, op stoelen, op de eettafel, op het bureau achter in de kamer. Opeens zag ze ze. Boven op een stapeltje boeken op het bureautje links tegen de achterwand. Naast de openslaande serredeuren lagen ze. Helemaal boven op de stapel lag het lichtblauwe boek. En daaronder hét boek. Het Mozartboek. Haar boek.

'Wat doe je daar?'

Naast Didi stond een jongen. Hij had een voetbal onder zijn arm en keek haar verbaasd aan. Didi deed van schrik een stapje achteruit.

'Nou, ik kijk.'

'Dat zie ik ook wel.'

De jongen liet zijn bal een paar keer stuiteren.

'Ik keek gewoon even. Zomaar.'

'Ze zijn niet thuis. Wat moet je van ze?'

Ze kon niet nog een keer zeggen dat ze zomaar keek. Kinderen kijken niet zomaar ergens naar binnen.

'Hij heeft een boek van me.'

'Wie hij?'

'Die meneer Lindenhuizen die hier woont.'

'Een boek? Hij heeft duizenden boeken.'

'Woon jij soms ook hier?'

'Nee, buurman Lindenhuizen is mijn buurman. Ik woon daar. Hiernaast.'

De jongen schopte zijn bal met een zacht boogje naar Didi. Ze ving hem handig op en gooide hem terug. De bal stuiterde de weg op, rolde terug en bleef in de goot liggen.

'Het zijn aardige mensen', ging de jongen verder. 'Ik kom er iedere dag. Dan ga ik wandelen met Schilder.'

'Schilder?'

'Ja, de hond. Ze zullen zo wel komen. Je moet gewoon even wachten.'

'Maar het kan misschien ook wel een tijdje duren en ik móét dat boek hebben. Dat moet. Het is belangrijk.'

'Hoe komt buurman Lindenhuizen aan jouw boek?'

'Hij heeft dat per ongeluk ge... gekregen. Maar het was een vergissing. Het is een belangrijk boek.'

'Dat zei je al. Je mag wel even bij mij thuis wachten.'

De jongen raapte zijn bal op en duwde met zijn knie de deur op nummer veertien open. De deur stond kennelijk op een kier.

'Ik heet Lucas.'

'Didi', zei Didi.

Ze liep achter hem aan door een lange gang naar de keuken. Lucas haalde een pak druivensap uit de koelkast.

'Mijn vader en moeder zijn naar mijn overgrootmoeder in Zwolle. Wil je wat drinken?'

Met een beker in haar hand liep ze achter Lucas aan de tuin in.

'Kijk', zei Lucas. 'Hier aan deze kant woont buurman Lindenhuizen.'

Om de tuin was een hoge houten schutting waar zelfs grote mensen niet overheen konden kijken. Lucas pakte een aluminium keukentrapje uit het schuurtje achter de keuken. Hij zette het trapje bij de schutting.

'Kijk maar', zei hij.

Didi dronk het laatste slokje van haar druivensap, gaf de beker aan Lucas en klom het trapje op.

Ze kon nu goed over de schutting heen kijken. Door de openslaande deuren kon ze duidelijk het stapeltje boeken op het bureau zien. Het lichtblauwe boek op het Mozartboek.

De grote glazen serredeuren stonden een klein eindje open. Net of de man eventjes weg was en zo dadelijk terug zou komen.

'Ik zie mijn boek liggen', zei ze tegen Lucas. 'Hier vlakbij. Achter die deur daar. Op het bureautje.'

Ze was er opgewonden van. Ze sprong van het trapje.

'Lucas', fluisterde ze.

Ze dacht aan de hond die ze ergens in het huis had horen blaffen.

'Wil jij wat voor mij doen?'

'Eh ...', zei Lucas.

'De deur staat open.'

Ze pakte Lucas bij de arm en trok hem naar zich toe.

'Als je het boek voor me pakt, krijg je een ijsje.'

Lucas móést het doen. Het móést.

'Schiet nou op', zei Didi gejaagd.

'Als het echt moet ...', zei Lucas aarzelend. 'Maar dan moet jij voor het huis gaan opletten.'

Lucas liep de keuken in en pakte een plastic tas.

'Dan verstop ik het hierin', zei hij.

'Op het bureautje', riep ze met gedempte stem. 'Het ligt boven op de stapel. Onder dat lichtblauwe boek. Blauwe!' Lucas stond al op de bovenste tree van het keukentrapje. 'Als je iemand ziet, druk je op de bel of anders bons je maar op het raam.'

Didi rende de gang door en ging aan de overkant staan. Op de stoep tegenover het huis. Ze keek de straat in, naar links en naar rechts. Niemand. Heel in de verte een fietser, maar verder niemand.

Vaag zag ze een schim achter in de kamer bij de buurman. Heel kort. Even later zwaaide de deur van het huis open. Lucas kwam naar buiten rennen. De voordeur sloeg met een harde klap achter hem dicht. Hij had een opgevouwen plastic tas onder zijn arm en holde over de stoep in de richting van het park. Hij rende zonder op of om te kijken. Didi volgde. Ze liep zo hard ze kon, maar ze haalde hem pas in bij de muziekschool. Daar zat Lucas op het muurtje uit te blazen.

'Je bent geweldig', hijgde ze.

'En nu het ijsje', pufte Lucas. 'Wat heb ik daar een zin in, zeg.'

O ja, een ijsje. Dat had ze beloofd.

'Bij de Italiaan hebben ze lekker ijs', zei Lucas.

9 De man van het boek

Ze staken bij de Burgwal de Cellebroedersbrug over, liepen de Geerstraat in en sloegen bij de Oudestraat linksaf. Het was er verschrikkelijk druk. De ijssalon lag een eind verderop in de straat.

Didi zag zichzelf lopen in etalageruiten. Mét Lucas. Didi en Lucas. Ze waren bijna even groot. Lucas had het tasje nog onder zijn arm.

Didi voelde in haar broekzak. Italiaans ijs was duur. Maar ze had genoeg geld.

Ook bij de Italiaan waren erg veel mensen. Het leek wel of iedereen vanmiddag een ijsje wilde.

'Ga jij maar zitten', zei Didi. 'Drie of vier bolletjes? Met spikkeltjes of met chocoladesaus?'

'Maakt me niet uit', zei Lucas.

Hij ging zitten in een rieten stoel bij een tafeltje. De stoel naast zich hield hij bezet voor Didi. Hij legde het tasje erop. Het duurde wel tien minuten voor Didi terugkwam met het ijsje. Ze gaf Lucas een bananenkiwi-ijsje mét chocola en slagroom. Ze had hem wel een zoen willen geven.

'Of wil je deze ...'

Lucas schudde zijn hoofd en nam een likje.

Eigenlijk had ze zelf helemaal geen zin in een ijsje. Ze wilde naar huis, zo snel mogelijk.

'Je moet niet ...', zei Didi zacht.

Ze legde het tasje op haar schoot en ging zitten.

Lucas knikte. Hij nam een likje.

'Niet tegen je moeder …'

'Natuurlijk niet.'

'Of je vader.'

Het ijsje was zo groot dat er geen likken aan was. Het ijs drupte langs haar vingers.

'En zeker niet tegen je buurman.'

Lucas knikte weer.

'Beloofd?'

Als een filmpje ging de middag door haar hoofd.

'Wat een geluk dat nou net die deur openstond', mompelde ze.

'Die deur staat altijd open, voor de hond. Dan kan hij de tuin in', zei Lucas.

Didi knikte. Ze likten en zwegen.

Toen ze het ijsje bijna op hadden, kwam Lucas overeind.

'Ik ga naar huis.'

Ze waren nog maar net opgestaan of de stoelen waren alweer bezet door andere mensen.

'Dankjewel', zei Didi. 'Ik vind je echt geweldig.'

Lucas keek haar niet aan.

Bij het bloemenkraampje op de markt namen ze afscheid. Nou ja, afscheid … Lucas stak zijn hand op en verdween in de massa mensen in de Oudestraat.

Ik koop een bloemetje voor mama, dacht Didi.

Ze probeerde het vrolijke gevoel van zo-even terug te krijgen. Ze zou tulpen kopen en zuidenwindlelies.

Ook bij het bloemenkraampje stonden veel mensen. Ze moest op haar beurt wachten.

'Hé, Didi.'

Vlak voor haar stond juf Annet.

'Nou zie ik je al wéér. Dat is de tweede keer vandaag. De derde keer moet jij trakteren.'

Didi lachte maar wat.

'Ga jij maar eerst', zei de juf.

Didi haalde een briefje van vijf uit haar zak.

'Hoe duur zijn die tulpen?', vroeg ze.

De bloemenman stak twee vingers op.

Didi knikte en vroeg: 'En de zuidenwindlelies?'

'Vijf euro voor jou, de tulpen en de zuidenwindlelies samen.'

Hij had zeker het briefje van vijf in haar hand gezien.

De bloemenman scheurde een stuk papier van een rol en wikkelde de bloemen erin.

'Hier, pak aan', zei de bloemenman. 'De volgende. Wat mag het zijn, dame?'

Hij vroeg het aan de juf.

Toen voelde Didi een hand op haar schouder.

'Hé, jij daar … Dat is toevallig', hoorde ze zeggen.

Ze draaide zich om en keek recht in het gezicht van de buurman van Lucas. In het gezicht van de man van het boek.

'Ben jij niet …?'

Ze schrok ontzettend, deed een stap achteruit en rende zigzaggend weg, de straat in, tussen de mensen door. Bij het eerste zijstraatje keek ze om.

Door de etalageruit van de winkel op de hoek zag ze dat de man nog bij het bloemenstalletje stond. Hij was haar niet gevolgd.

Ze moest snel naar huis. Ze drukte de bloemen en het tasje tegen zich aan.

Praatte hij met de juf? Wegwezen.

Het straatje kwam uit op de gracht. Ze sloeg rechtsaf. Straks nog even het bruggetje over. En dan aan het eind van de straat, vlak bij de kerk op de hoek, was haar huis.

Ze was er bijna. Ze rende niet meer, maar liep wel stevig

door. Om de haverklap keek ze achterom. Het ging vanzelf. Alsof ze op die manier iedereen en alles op afstand kon houden.

Ze stak de straat over. Voor hun huis stond de fiets van Romy.

'Kom op! Naar binnen', zei ze tegen zichzelf. 'Niet meer achteromkijken.'

Ze keek toch nog één keer achterom. Niemand te zien.

Ze had de deurknop in haar hand. Opschieten.

Nog een allerlaatste keer keek ze de straat in. En toen was hij er. Nog wel heel in de verte, aan de andere kant van de brug, maar hij was het wel.

Didi wist even niet wat ze moest doen. Toen holde ze naar de overkant van de straat en sprong de fietsenstalling in. Haar hart bonsde.

De buurman van Lucas is achter me aan gekomen, dacht ze. Hij heeft vast gezien dat Lucas het boek wegpakte. Hij is ons gevolgd tot bij de ijssalon toe. En hij heeft gewacht tot ik alleen was.

Heel voorzichtig stak ze haar hoofd om het hoekje van de deur van de fietsenstalling. De buurman van Lucas was de brug over. Bij ieder huis bleef hij staan bij de voordeur en keek door de ramen naar binnen.

Het was duidelijk. Hij zocht haar!

Ze maakte zich zo klein mogelijk, gluurde nog eens.

Hij sloeg geen huis over. Ook niet de huizen aan de overkant. Langzaam kwam hij dichterbij.

De koster stapte de deur van zijn huis uit. Hij stak de straat over en begon, zoals hij altijd deed op zaterdag, de stoep voor de fietsenstalling te vegen.

De koster moest haar hier nu niet zien. Didi schoof zo snel mogelijk achteruit, een eindje verder de stalling in. Ze dook weg achter een paar fietsen. Vanuit haar schuilplaats zag ze de koster telkens in het licht van de deuropening verschijnen. Ze hoorde het geluid van regelmatig geveeg. Toen, in een flits, was de buurman van Lucas er. Voet, been, jasje, bril, voetstappen, voorbij.

'Goedemiddag', hoorde ze de koster zeggen.

'Goedemiddag.'

Hij was weg. Didi haalde opgelucht adem. Nu kon ze naar huis. Maar ze bleef nog even zitten.

Ze luisterde scherp. Ze hoorde het geluid van een voorbijrijdende auto. De koster hoorde ze niet meer. Hij was kennelijk het steegje naast de fietsenstalling in gegaan.

Didi stond moeizaam op. Haar linkervoet sliep. Het tasje en de bloemen, die ze naast zich had neergelegd, raapte ze op. Het tasje met het boek. Dat boek had ze in ieder geval.

Even kijken, dacht ze.

Ze deed de tas open en haalde voorzichtig het boek tevoorschijn.

Op alle vragen een antwoord, las ze. Het stond met gouden, sierlijke letters op een lichtblauwe kaft.

Haar vingers begonnen te trillen. Ze draaide het boek om en om, maar het werd er niet anders van.

10 De bel

'Ik zou graag willen dat jullie allemaal meehelpen zoeken als we klaar zijn met eten', zei papa.
Hij vouwde het bijna lege yoghurtpak op en perste er een laatste restje yoghurt uit.
Papa was vlak voor het avondeten thuisgekomen.
'Ik heb me op kantoor een ongeluk gezocht naar dat Mozartboek. Het lag niet in mijn bureaula, niet in de boekenkast. Nergens! Het moet absoluut hier thuis liggen. Wie het vindt, krijgt ...'
Didi kon nauwelijks een hap door haar keel krijgen. Ze zat stilletjes en witjes aan tafel. Over alles dacht ze na. Ze dacht na over wat ze wilde zeggen. Over hoe ze haar mes vasthield. Over hoeveel happen ze kon nemen zonder dat het opviel dat ze eigenlijk helemaal niks at. En over hoe het verder moest.
Mama legde een hand op haar arm.
'Ik vond het zo lief, die bloemen. Voel je je niet lekker, Didi?'
Didi haalde haar schouders op en schudde haar hoofd.
Na het eten verdween ze onmiddellijk naar boven. Niemand riep haar terug, dat ze mee moest helpen met zoeken.
Het blauwe boek lag op haar bureautje. Ze pakte het en hield het een ogenblikje in haar handen.
Op alle vragen een antwoord.
Ze bladerde erdoorheen. Het boek rook naar oude kranten. Letters dansten op elke bladzijde. Tranen brandden in haar ogen.
Alles voor niets.

Ze had een boek waar niemand naar op zoek was. Het boek dat zij moest hebben en waar iedereen in huis nu naar zocht, lag doodleuk in de Engelenbergstraat. Op het bureau van meneer Lindenhuizen.

Didi ging op haar bureaustoel zitten. Ze zuchtte diep.

Ze was niet boos op Lucas. Ze was ook niet boos op zichzelf. Ze was niets, helemaal niets.

Die meneer Lindenhuizen weet waar ik woon, dacht ze. Hij weet me te vinden.

Didi stond op en keek naar zichzelf in de spiegel boven de wastafel.

Al gaat het dan honderd keer om het verkeerde boek, zij had het wél gestolen. Lucas had het boek gepakt, maar zij had het gestolen.

Didi ging op de rand van haar bed zitten. Stond weer op. Zette de boeken die op de grond lagen naast elkaar in de

kast. Liep naar de gang. Keek over de trapleuning naar beneden. Opende de overloopkast. Verschoof een stapeltje videobanden, liep terug naar haar slaapkamer en ging weer op bed zitten. Ze wachtte.

Toen ging de bel. Ze sprong op, deed een paar stappen in de richting van de deur, maar bleef toch staan. Ingespannen luisterde ze. Waarom deed niemand open?

Er werd opnieuw gebeld. Ze wist niet dat hun bel zo verschrikkelijk veel lawaai maakte. Ze hoorde de deur opengaan. Er klonken stemmen in de gang.

'Didi! Didi?', werd er geroepen.

Het was Levi.

'Didi! Er is iemand voor je.'

Het leek of ze alle woorden in haar hoofd naliep om 'ja' te kunnen zeggen. Ze zei niets.

Levi stormde de trap op. Hij bonsde op de wc-deur op de overloop.

'Zit je soms hier?'

Hij was al binnen, in haar slaapkamer.

'Wat sta je daar nou idioot te staan', riep hij. 'Hoor je me niet? Er is iemand voor je! Beneden. Bij de voordeur.'

Hij gaf haar een duwtje in de rug.

'Opschieten. Hij wacht op je.'

In een paar sprongen was Levi weer beneden. Ze hoorde de woonkamerdeur.

11 Nog eens Lucas

Met bonzend hart en voetje voor voetje liep ze de trap af. Ze liep als een kleuter. Telkens één stapje en dan het andere been erbij. Toen ze bijna beneden was, voelde ze de buitenlucht in de gang. De voordeur stond wagenwijd open. In de deuropening stond een jongen. Een jongen met een hond.

Lucas!

'Lucas!', riep ze.

Ze rende naar de deur.

'Lucas! Wat doe jij hier?'

Hij gaf haar een opgevouwen linnen tasje. Ze voelde meteen dat er een boek in zat.

De hond sprong uitgelaten tegen haar op. Lucas trok hem aan de riem terug.

'Ik laat Schilder uit', zei hij. 'En toen vroeg buurman Lindenhuizen of ik dit boek aan je wilde geven. Hij had het zelf langs willen brengen. Maar hij moest naar een vergadering vanavond. En toen vroeg hij: "Wil jij dit niet even afgeven als je met Schilder gaat wandelen?"'

Lucas draaide de hondenriem een paar keer om zijn hand.

'Ik snap alleen niet dat … Jij had dat boek toch al?'

'Je hebt hem toch niet …', zei Didi.

'Nee, dat heb ik niet gezegd. Ik vertelde natuurlijk niet dat ik je kende. In de tas zit een briefje van buurman Lindenhuizen. Dat moet je maar lezen.'

Didi deed het tasje open. Ze zag het boek. Het was er echt.

Er lag een briefje tussen geschoven. Ze haalde het uit de tas.
Haar ogen vlogen over de regels.

Beste Diedie Druif,

*Gisteren kocht ik een boek van je op de rommelmarkt. Ik dacht meteen
al dat het een bijzonder boek was. Via een kennis en via internet
ontdekte ik dat het vooral een uiterst zeldzaam boek is. Je hebt mij
(zeer waarschijnlijk per ongeluk) een heel kostbaar boek verkocht. Dat
kan natuurlijk nooit de bedoeling zijn geweest.*
*Ik wilde het boek meteen gisteren al aan je teruggeven, maar ik wist
niet wie je was en waar je woonde. Bij toeval zag ik je vanmiddag in
de stad.(Ik snapte overigens niet waarom je wegrende.) Gelukkig
vertelde een juf van je school hoe je heette. Ze wist dat je in de
Broederweg woonde, maar niet precies waar. Na enig speurwerk vond
ik je adres.*
*Hierbij geef ik het boek aan je terug. Jammer genoeg kan ik dat zelf
niet doen. Bedank mijn aardige buurjongen Lucas maar.*
Zeg tegen je vader dat hij het boek moet laten taxeren.

Een vriendelijke groet,
Dr. Johannes Lindenhuizen

'Lucas', zei ze verlegen. 'Lucas.'
De naam bleef een beetje hangen in de gang. Lucas lachte.
'Lucas. Wacht.'
Ze rende de trap op en legde het Mozartboek op de bovenste
plank in de gangkast. Het boek *Op alle vragen een antwoord*
deed ze in het tasje. Ze sprong de trap weer af.
'Geef dit boek maar aan je buurman.'
Lucas pakte het tasje aan en lachte. Didi lachte terug.
'Nou ...', zei Lucas.

'Ja ...', zei Didi.

'Ikke ...'

Didi aaide de hond.

'Nou, ik ...', zei Lucas. 'Ik ga maar weer eens.'

'Kom even mee naar boven. Ik wil je wat geven. Om je te bedanken. Dat stond in de brief: dat ik jou moest bedanken.'

Lucas stommelde achter Didi aan de trap op. Schilder bleef beneden in de gang. Hij legde zijn kop op de onderste trede van de trap.

'Kijk', zei Didi. 'Dit is mijn puntenslijperverzameling.'

Ze pakte een prachtig houten puntenslijpertje in de vorm van een hondje. Het leek precies op Schilder.

'Voor jou', zei Didi. 'Voor eh ... Omdat ...'t Is mijn allermooiste.'

'Tjonge', zei Lucas.

Hij werd er verlegen van. Ze vond Lucas echt aardig.

'Dankjewel', zei Lucas.

Hij stopte het puntenslijperhondje bij het blauwe boek in de tas.

Toen ze langs de gangkast kwamen, nam Didi het Mozartboek van de bovenste plank.

'Ze zijn met zijn allen aan het zoeken naar dit boek', fluisterde Didi. 'Straks kom ik binnen en dan zeg ik: "Hebben jullie dat boek nóg niet gevonden? Kijk ..." En dan laat ik het zien.'

Didi kon niet goed in slaap komen. Ze had met mama de spulletjes weer op de vliering gezet.

'We laten het mooi bij elkaar liggen. Als er later weer een rommelmarkt is, dan kun je die spullen zo weer pakken.'

Een rommelmarkt? Nee, ze ging niet meer op een rommelmarkt zitten. Nooit meer.

Ze draaide zich om en om.

Het was allemaal goed afgelopen. Maar Lucas had wél ingebroken. En dat had zij verzonnen.

Ze hoorde papa en mama de trap op komen.

'Nou schat, het was me het dagje wel', hoorde ze papa zeggen.

'Sst', zei mama. 'Didi ...'

Papa stak zijn hoofd om het hoekje van haar slaapkamer.

'Ze slaapt', fluisterde hij.

De deur van de badkamer ging open en dicht.

Didi draaide zich nog een keer om.

Ik zal in ieder geval dat geld terugbrengen, dacht ze. Ik zal zeggen: 'Hier hebt u vier euro. Het blauwe boek mag u houden, dat is gratis.'

12 Sorry

Het was prachtig weer. Papa en mama maakten een wandelingetje. Waar Romy en Levi waren, wist ze niet. Ze was alleen thuis. In het telefoonboek zocht ze het nummer van meneer Lindenhuizen.

Ze nam de telefoon en toetste het nummer in.

'Truus Lindenhuizen', zei een stem aan de andere kant van de lijn.

'Met Didi', zei ze zacht.

'Met wie? Didi?'

'Van de rommelmarkt.'

'Rommelmarkt?'

Ze hoorde op de achtergrond iemand praten.

'Mijn man kent je wel, begrijp ik', zei de mevrouw.

'Mag ik morgen even langskomen, alstublieft? Voor meneer Lindenhuizen.'

'Mag ze komen, morgen?', hoorde ze de mevrouw vragen.

Er werd weer even gepraat.

'Dat kan wel. Maar niet eerder dan halfvijf.'

'Dank u wel', fluisterde Didi.

'De rommelmarkt dus, hè?'

'Ja.'

'Dag Didi.'

Het was maandagmiddag. Didi zette haar fiets tegen een boompje voor het huis van meneer Lindenhuizen. Het was precies halfvijf.

Ze had gisteravond nog ge-msn'd met Lucas. Lucas had gevraagd hoe het nou echt zat met dat boek en ze vertelde dat ze het geld ging terugbrengen.

Didi belde aan. Ze mocht binnenkomen.

Meneer Lindenhuizen zat op de bank en las de krant. Schilder lag aan zijn voeten.

'Ik zal een kopje thee voor je maken', zei mevrouw Lindenhuizen. 'Dat lust je toch wel?'

'Ja, mevrouw.'

Didi nam voorzichtig een paar slokjes van de hete thee.

'Ik wil u het geld van het boek teruggeven', zei ze zacht.

Meneer Lindenhuizen had het niet goed verstaan.

'Het geld', zei ze. 'Het geld dat u betaalde voor het boek.'

Ze legde aarzelend vier euro op het tafeltje voor haar. Toen pas zag ze het blauwe boek. Ze kreeg er een kleur van. Het boek lag ook op het tafeltje.

'Tsja', begon meneer Lindenhuizen. 'Dit boek ...'

Hij nam het in zijn handen en bladerde erin.

'Ik kreeg het gisteren van Lucas. Hij vertelde dat hij het van jou had gekregen.'

'Dat ...'

Ze wilde vertellen hoe het allemaal was gegaan, maar meneer Lindenhuizen liet haar niet uitspreken.

'Ik heb het van Lucas gehoord.'

Hij kwam van de bank overeind.

'Ik zou nu eigenlijk verschrikkelijk boos op je moeten worden. Inbreken in mijn huis ... Dat is niet niks.'

Hij deed een stapje in haar richting. Didi zat kleintjes op een puntje van de stoel en omklemde met beide handen haar kopje thee.

'Maar ... toen ik een jaar of negen was ... Hoe oud ben jij?'

'Negen', fluisterde Didi.

'Juist ja. Ik basketbalde elke dag. Mijn vader had een basket opgehangen aan de garagedeur. De bal verdween regelmatig over de schutting van de buurman. Elke keer als dat gebeurde, zei hij: "Een volgende keer krijg je je bal niet terug." Toen ging het mis. Ik wilde mijn vriendje laten zien hoe goed ik was. Ik gooide de bal van grote afstand naar de basket. Hij kwam tegen de basketring en vloog met een grote boog de tuin van de buurman in. Een geraas van rinkelend glas volgde en toen was het doodstil. Ik durfde niet aan te bellen. Daarom besloot ik over de schutting te klimmen en de bal stiekem terug te pakken. De buurman was toch niet thuis. Dacht ik. Maar hij stond om het hoekje van de keukendeur mij op te wachten. Met een broodmes in zijn hand om mijn prachtige basketbal stuk te snijden. Ik dacht: nu komt het ... Maar toen legde hij het mes op het tuintafeltje, raapte de bal op en gaf die aan mij. "Ik zou nou verschrikkelijk kwaad moeten zijn", zei hij. "Maar toen ik een jaar of negen was ..." En hij vertelde over hoe hij met zijn vriendjes een keer appels ... Begrijp je?'

Didi knikte. Toen schudde ze haar hoofd.

'Maar ik ...'

'We praten er niet meer over.'

Didi zuchtte en dronk haar thee op.

Meneer Lindenhuizen nam de vier euromunten van het tafeltje, pakte Didi's hand en legde het geld erin.

'Daar koop je maar een ijsje voor of een boek.'

Didi wilde het geld niet hebben. Ze was hier tenslotte voor dat geld. Maar ze durfde het ook niet nog eens terug te geven.

Om vijf uur stond Didi op. De buurman van Lucas liep mee naar de voordeur.

'Didi', riep mevrouw Lindenhuizen.

Ze was op de bovenverdieping.

'Ik had het toch goed begrepen van die rommelmarkt, hè?'

Ze kwam de trap af lopen en zeulde drie overvolle tassen met zich mee. Ze zette die naast Didi in de gang.

'Ik heb wat spulletjes voor je opgezocht. Voor de rommelmarkt. Maar ik wist niet dat je zo klein was. Dat kun je nooit allemaal alleen dragen.'

Ze stapte naar buiten en belde aan bij de buren.

'Ik vraag wel of Lucas met je meeloopt.'

Meneer Lindenhuizen zette één van de tassen achter op haar fiets.

'Dag Didi', lachte hij. 'Goed opletten wat je verkoopt. Maak een volgende keer maar niet nog eens zo'n dure vergissing.'